Recuerdos de Ballesteros

Mi Pueblo Natal en Filipinas

Escrito por
Rey E. de la Cruz

Ilustrado por
Tenni Magcase

Traducido al español por
Ángeles Marco Pérez

(with running English text)

Título original en inglés: *Ballesteros on My Mind: My Hometown in the Philippines*

LCCN: 2016937097
ISBN: 978-0-9964694-5-6

Diseño del libro: Tenni Magcase
Diseño gráfico: Syd Lopez

Las ilustraciones se realizaron en acuarela, lápices de color, marcadores artísticos en papel de acuarela de 140 libras.

El personal de producción del trailer del libro:
Directora y animadora: Sandie O. Gillis
Asistente de dirección: Ivan Kevin R. Castro
Narrador: Jack Leander Imperial

Carayan Press
P.O. Box 31816
San Francisco, California 94131-0816, EE.UU.
Email: carayan@carayanpress.com
www. carayanpress.com

Impreso en EE.UU. – Printed in the U.S.A.

Recuerdos de Ballesteros
Mi Pueblo Natal en Filipinas

Para papá, mamá, Élmer, Óscar, Vilma y mis paisanos de Ballesteros, Cagayán—R.E.D.

Para mi querido Melvyn Patrick López, que me sigue inspirando desde las estrellas—tenni M.

Agradecimientos

Rodina B. Baccaray, Merlita T. Bayuga, Ivan Kevin R. Castro, Leo T. Centeno, Joe S. Collado, Margaret A. Fashing, Penélope V. Flores, Ph.D., Sandie Oreta Gillis, Alvin Mark G. Hipólito, Jack Leander Imperial, Syd López, Angioline A. Loredo, Edwin A. Lozada, Gía R. Mendoza, Eleanor S. Modesto, Nancy Oandasan Pascua, Nora Edrozo Rasos, Donna J. Rohrlack, María Teresita B. Sindiong, Nimfa Álvarez Sta. Ana, Mary Jane A. Tancinco, Pat Whitson-Kane, y Lizzie Eder Zóbel.

tenniM

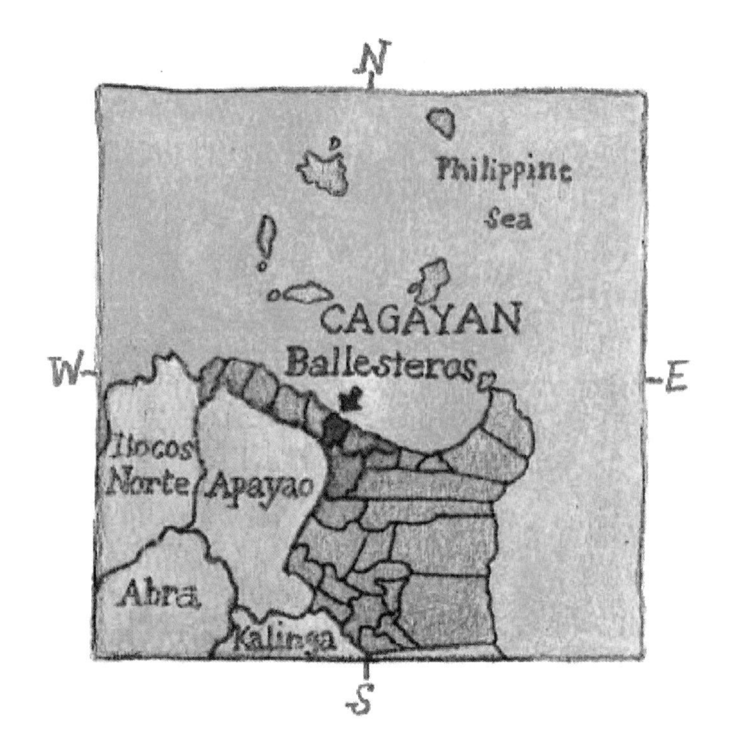

No importa donde nuestros pasos nos lleven, nuestra mente y nuestro corazón permanecen en el lugar que llamamos hogar. El cálido relato de Rey E. de la Cruz sobre su pueblo natal en las Filipinas atrapa la nostalgia hacia este lugar especial.

En 1957, cuando yo tenía tres años, mi familia se trasladó a Ballesteros. Mi padre era oficial del ejército y fue destinado a diferentes lugares. Él y mi madre decidieron dejar la ciudad y volver a su pueblo natal, Ballesteros.

Mi madre, que trabajó como enfermera en la ciudad, se quedó en casa a cuidar de mí, mis dos hermanos y mi hermana. Se aficionó a la jardinería y ganaba dinero cultivando y vendiendo buganvillas.

Las Filipinas se componen de 7.100 islas, de las cuales la isla de Luzón es la más grande. Mi pueblo natal, Ballesteros, está en la provincia de Cagayán, en la punta norte de Luzón. La gente habla un idioma llamado ilocano.

Supe que existían otros lugares más allá de mi pequeño mundo de Ballesteros porque cada vez que conectaba la radio a pilas escuchaba emisiones procedentes de Taiwán y China.

Recuerdo Ballesteros…

El mar occidental de Filipinas, que bordea el pueblo, era el principal atractivo de Ballesteros. La gente iba de pícnic a la playa. Mis amigos y yo disfrutábamos jugando y persiguiéndonos por la arena. Nos encantaba contemplar el atardecer.

Muchos de los habitantes de Ballesteros se ganaban la vida con la pesca. A veces, por la tarde, mis hermanos, mis primos y yo ayudábamos a los pescadores a transportar sus enormes redes. Como recompensa, nos daban un puñado de los peces que capturaban. Yo llevaba a casa mi parte para que mi tía abuela Inding la cocinara para la cena.

Cuando la marea estaba baja, unos pequeños moluscos llamados *gakka* se quedaban atrapados en la arena. *Gakka* solo se encuentra en algunos pueblos costeros de Cagayán. Los pescadores se metían en el agua hasta la cintura para sacar *gakka* de entre la arena, utilizando un cesto con mango de bambú llamado *tako*.

Cocinar *gakka* era sencillo. Se vertía agua hirviendo sobre las *gakka* e inmediatamente se escurrían. Y ya estaban las cáscaras listas para poderse abrir.

Comer los moluscos era una especie de deporte. Los hombres introducían unas cuantas piezas de *gakka* en la boca, separaban la carne con los dientes, y rápidamente escupían las cáscaras. ¡Mis amigos y yo los contemplábamos con asombro y les rogábamos que repitieran el espectáculo una y otra vez!

La gente contaba innumerables historias acerca del mar. Una de ellas era sobre una barca llena de hombres que se perdió en el mar pero lograron encontrar el camino de vuelta a Ballesteros.

Mi tía abuela Inding contaba el cuento de una sirena. "Hace muchos años, una sirena se apareció varias veces a un hombre muy apuesto."

El mar también era temido. Cada año se ahogaba por lo menos una persona. Yo raramente iba a nadar porque tenía miedo.

Por las noches, cuando estaba en la cama, podía oír el ruido de las fuertes olas que se estrellaban contra la playa, y su sonido me calmaba hasta quedarme dormido. En un sueño vi mis huellas desaparecer en la arena.

Recuerdo Ballesteros…

Mi familia vivía en la casa de mi tía abuela Inding, que tenía el tejado de nipa y se hallaba en el centro del pueblo. El mercado, el templete de la música, el ayuntamiento, el auditorio al aire libre, la cancha de tenis y la iglesia católica estaban a poca distancia. Había dos escuelas secundarias privadas, una en la parte norte y otra en el este.

Había pocos vehículos de motor en Ballesteros, y la gente solía ir andando de un lugar a otro. Para trasladarse a los pueblos vecinos utilizaban el *jeepney* o la calesa, un coche de caballos de dos ruedas. El viaje era lento, pero a mí me encantaba, especialmente cuando viajaba en calesa, porque me entretenía contemplando a la gente y las casas del camino.

BALLESTEROS
CENTRAL ELEMENTARY SCHOOL
BALLESTEROS

Ballesteros solo tenía electricidad unas cuantas horas durante la noche. No había televisión ni teléfono. Sin embargo, había un cine que exhibía películas en tagalo dos o tres veces por semana.

Mis amigos y yo jugábamos mucho. El pueblo entero era nuestro patio de recreo. Trepábamos por los árboles y jugábamos al escondite entre los arbustos. Un juego del que disfrutábamos mucho era el *sungka*, en el cual participaban dos jugadores sobre una tabla de madera con agujeros. Cada jugador tenía una *balay*, o casa, para guardar las conchas utilizadas en el juego. El que acababa con más conchas en su *balay* era el que ganaba.

Los juegos terminaban antes de que las campanas de la iglesia tañeran para las oraciones vespertinas a las seis. Había que lavarse muy bien las manos antes de sentarse a la mesa para cenar. El arroz al vapor se servía en cada comida. A veces comíamos pescado y verduras.

De las meriendas, me encantaba el *patupat*. Para hacerlo, el arroz pegajoso se cocinaba con leche de coco. Luego se le daba forma de pirámide, se envolvía en hojas de plátano y se cocía a fuego lento en una olla de hierro. El *patupat* se servía espolvoreado con azúcar.

En Navidad, comíamos el pastel de arroz llamado *tinubong*, hecho con azúcar, harina de arroz pegajoso, leche de coco y carne de coco tierno rallada. La mezcla se ponía dentro de un tubo de bambú que se tapaba en el extremo abierto con cáscara de coco o con hojas de plátano secas. En el suelo se excavaba un hoyo rectangular y se llenaba de ascuas, y sobre ellas se cocinaba el *tinubong*. Cuando estaba hecho, el tubo de bambú se partía en dos. Entonces se extraía el *tinubong* y se servía.

Los jueves, la gente esperaba con impaciencia en la tienda del pueblo la llegada del autobús que venía de Manila. El conductor entregaba los ejemplares de la revista semanal *Bannawag* (Amanecer) escrita en ilocano. La gente disfrutaba leyendo comics, novelas y cuentos. Mi amiga Perlita preguntaba, "¿Crees que el chico y la chica de la historia de amor se reunirán otra vez?" Y yo contestaba, "*Mabalin*. Quizás." Yo pensaba que si no se reunieran otra vez, seguramente lo harían en el cielo. Había visto historias así en las películas en tagalo.

El pueblo empezaba a honrar a los muertos el Día de Todos los Santos. A las 12 de la noche del día 1 de noviembre, la gente guardaba sus posesiones porque los "espíritus" las podían robar. Al día siguiente, las cosas robadas como escaleras, cruces de cementerio y tinajas de barro (llamadas *burnay*) aparecían en cualquier esquina, de donde eran rescatadas por sus dueños. Aunque no les parecía bien, los propietarios no se quejaban mucho, porque el "delito" era una tradición.

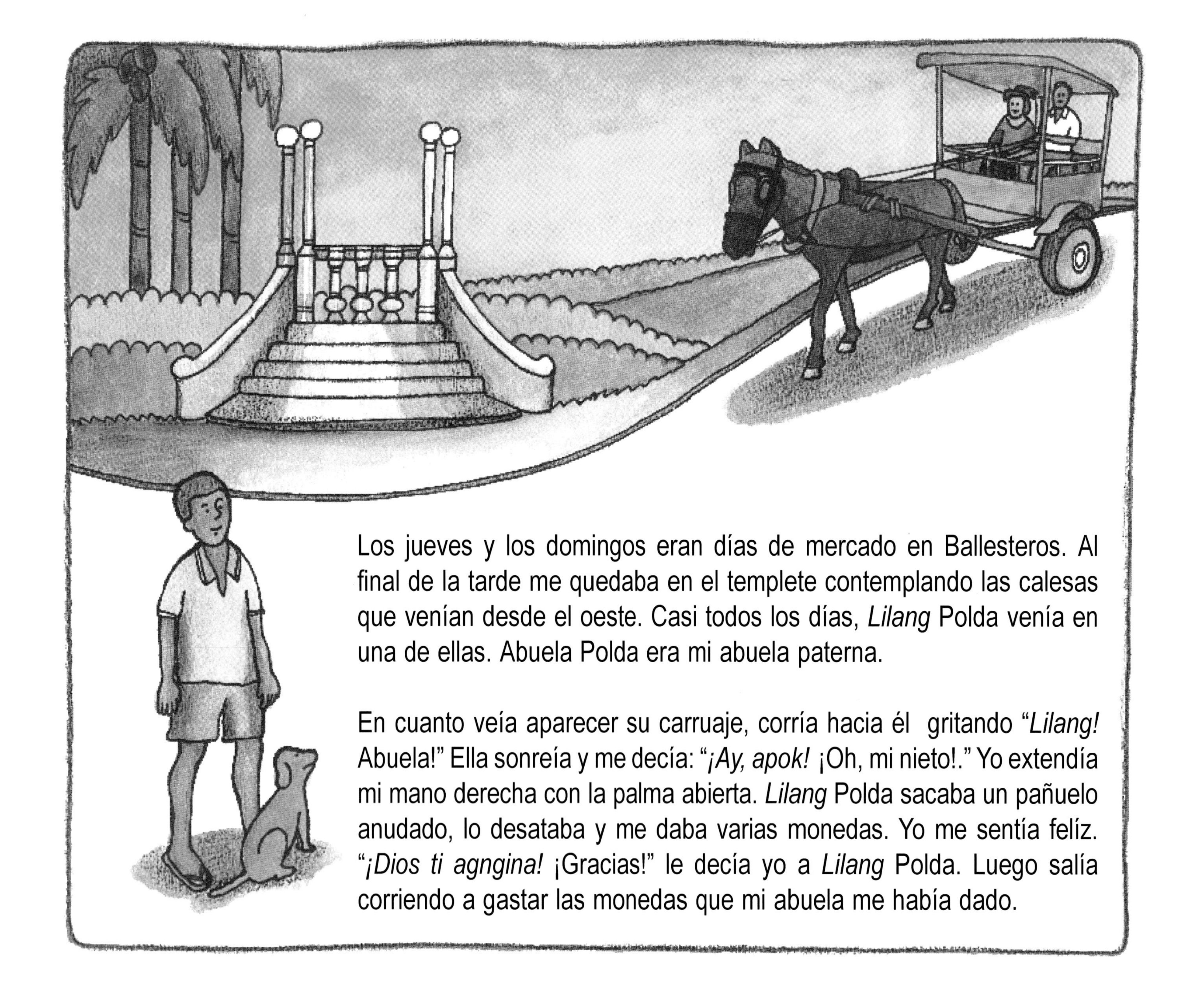

Los jueves y los domingos eran días de mercado en Ballesteros. Al final de la tarde me quedaba en el templete contemplando las calesas que venían desde el oeste. Casi todos los días, *Lilang* Polda venía en una de ellas. Abuela Polda era mi abuela paterna.

En cuanto veía aparecer su carruaje, corría hacia él gritando "*Lilang!* Abuela!" Ella sonreía y me decía: "*¡Ay, apok!* ¡Oh, mi nieto!." Yo extendía mi mano derecha con la palma abierta. *Lilang* Polda sacaba un pañuelo anudado, lo desataba y me daba varias monedas. Yo me sentía felíz. "*¡Dios ti agngina!* ¡Gracias!" le decía yo a *Lilang* Polda. Luego salía corriendo a gastar las monedas que mi abuela me había dado.

Mi primer trabajo, de niño, fue vender el periódico *Manila Bulletin*. Mi tío abuelo Lope, que era el distribuidor del periódico, reclutaba a los niños del barrio para que vendieran el *Bulletin*. Yo me recorría las calles pregonando "*¡Bulletin! ¡Bulletin! ¡Bulletin!*". El trabajo terminaba al anochecer. Tío abuelo Lope solo nos pagaba unos pocos centavos, pero nos encantaba ganar dinero.

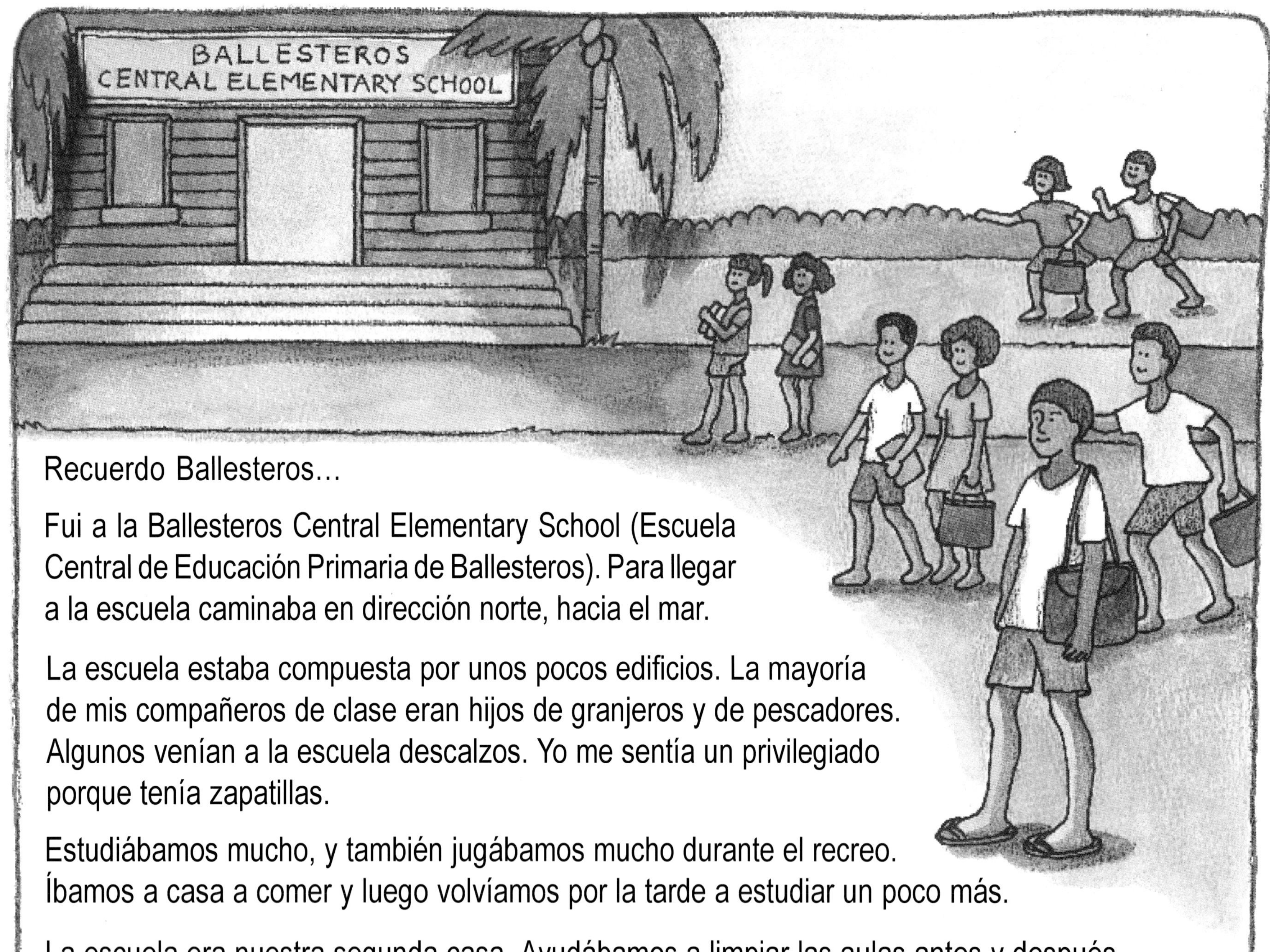

Recuerdo Ballesteros…

Fui a la Ballesteros Central Elementary School (Escuela Central de Educación Primaria de Ballesteros). Para llegar a la escuela caminaba en dirección norte, hacia el mar.

La escuela estaba compuesta por unos pocos edificios. La mayoría de mis compañeros de clase eran hijos de granjeros y de pescadores. Algunos venían a la escuela descalzos. Yo me sentía un privilegiado porque tenía zapatillas.

Estudiábamos mucho, y también jugábamos mucho durante el recreo. Íbamos a casa a comer y luego volvíamos por la tarde a estudiar un poco más.

La escuela era nuestra segunda casa. Ayudábamos a limpiar las aulas antes y después de las clases. Al acabar la jornada, aun hacíamos tareas en el exterior, como arrancar malas hierbas en el patio de la escuela.

Un día de principios de enero de 1964 fue inolvidable. Los niños de Ballesteros todavía estábamos disfrutando de las vacaciones navideñas. Al atardecer oímos los gritos de "*¡Uram!* ¡Fuego!". El humo se veía desde la distancia. Rápidamente corrió la voz de que la escuela estaba en llamas. Corrí en dirección a la escuela. Las pavesas volaban por doquier. La gente se subía a los tejados de nipa de sus casas y los mojaba con agua. Una multitud se reunió frente a la escuela. Nunca en mi vida había visto un incendio tan grande. Estaba asustado. Me quedé inmovil. No sabía qué hacer.
El edificio principal de la escuela ardió totalmente ante mis ojos. Supe inmediatamente que nunca más pisaría el aula de mi clase de tercer grado.

Nunca se supo cómo empezó el fuego. Al regresar a la escuela después de las vacaciones de Navidad las clases se distribuyeron por distintas casas. Mis compañeros y yo dábamos clase en el segundo piso de la casa asignada al tercer grado. Nunca quedó interrumpida nuestra enseñanza.

La vida siguió como de costumbre. Al final del curso escolar, la población asistió a la ceremonia de clausura de curso. Cuando nombraban a los estudiantes con matrícula de honor, sus padres subían al estrado y les colocaban una banda. Los espectadores aplaudían con fuerza, y algunos también subían al estrado para hacer regalos a los estudiantes premiados. Era un gran acontecimiento.

En 1964, mi familia abandonó Ballesteros, al ser mi padre trasladado a Quezon City, una ciudad al lado de Manila. Pero mis hermanos y yo volvíamos a Ballesteros durante las vacaciones de verano. Cuando visité la escuela en 1966, una nueva estructura más baja había sustituido al gran edificio central. Eché de menos el viejo edificio de madera con escalones de cemento. Una vez, Miss Aquilizan, nuestra maestra de segundo grado, pidió a dos o tres de mis compañeros que subieran los escalones y leyeran en voz alta el letrero donde ponía: Ballestros Central Elementary School.

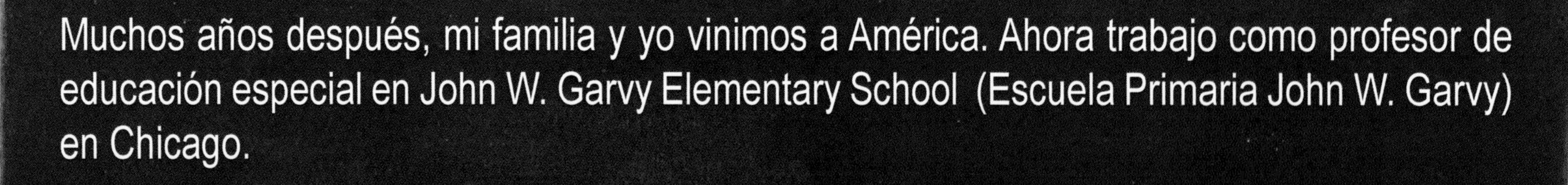

Muchos años después, mi familia y yo vinimos a América. Ahora trabajo como profesor de educación especial en John W. Garvy Elementary School (Escuela Primaria John W. Garvy) en Chicago.

Cada vez que tengo la oportunidad, les cuento a mis alumnos historias de mi maravillosa niñez en Ballesteros. Les he enseñado a jugar a *sungka*, el juego del que tanto disfruté de niño, y les muestro fotos de *gakka*.

Recuerdo a la gente, los lugares y los acontecimientos de Ballesteros como si fuera ayer. A veces todavía puedo respirar la brisa salada del mar y oír el ruido del agua corriendo hacia la playa. Veo a mi *Lilang* Polda apeándose de la calesa . . . y a mis amigos llamándome para jugar, “¡Rey, Rey, Rey!”

Recuerdo Ballesteros…

Ballesteros on My Mind: My Hometown in the Philippines

In 1957, when I was three years old, my family moved to Ballesteros. My father was an army officer who was assigned to different places. He and my mother decided that we leave the city and live in their hometown, Ballesteros.

My mother, who worked as a nurse in the city, stayed home and took care of my two brothers, a sister, and me. She took up gardening as a hobby, and earned money growing and selling bougainvilleas.

The Philippines has 7,100 islands, of which Luzon is the largest. My hometown, Ballesteros, is in the province of Cagayan, on the northernmost tip of Luzon. The residents speak a language called Ilocano.

I knew there were places beyond my little world of Ballesteros because whenever I turned on the battery-operated radio, I heard programs coming from Taiwan and China.

Ballesteros is on my mind . . .

The West Philippine Sea on the edge of the town was the main attraction in Ballesteros. The residents went on picnics on the beach. My friends and I enjoyed playing and chasing each other on the sand. We also loved watching the sunset.

Many of the residents earned their living from fishing. Sometimes, in the afternoons, my siblings, cousins, and I helped the fishers haul in their huge nets. As reward, we were given a handful of their catch. I brought home my share for Grandaunt Inding to cook for dinner.

When the tides ebbed, small shellfish called *gakka* were left on the sand. Gakka could be found only in a few coastal towns of Cagayan. Fishers would wade into the waist-deep seawater and scoop the gakka out of the sand, using a basket with a bamboo handle called *tako*.

Cooking the gakka was simple. Boiling water was poured over the gakka and immediately drained. Then, the shells were ready to be opened.

Eating the shellfish was a kind of sport. Men popped a few pieces of gakka into their mouths, separated the meat with their teeth, then quickly spat out the shells. My friends and I watched the gakka eaters in amazement! We begged them to do the gakka show again and again!

People told countless stories about the sea. One was about a boatload of men who got lost in the middle of the sea, but found their way back to Ballesteros.

I listened to Grandaunt Inding's tale of a mermaid. "Many years ago," she said, "a mermaid appeared several times on the beach to a good-looking gentleman . . ."

The sea was also feared. Every year, at least one person drowned. I rarely went swimming because I was afraid.

At night as I lay in bed, I could hear the loud waves crashing into the beach, their sounds calming me to sleep. In a dream, I saw my footprints disappear beneath the shifting sands.

Ballesteros is on my mind…

Our family lived in my Grandaunt Inding's nipa-roofed house in the *sentro*, the town center. The marketplace, bandstand, municipal hall, open-air auditorium, tennis court, and the Roman Catholic church were within walking distance of each other. There were two private high schools. One was on the south end, and the other on the east end.

Since there were only a few motor vehicles in Ballesteros, people were used to walking to their destinations in town. To go to the neighboring towns, they rode a jeepney, or a *kalesa*, a two-wheeled horse carriage. The ride was usually slow going. That was fine with me, especially when I rode the kalesa, because I loved looking at people and houses along the way.

Ballesteros had electricity for only a few hours at night. There was no television or telephone. However, there was a movie house that showed movies in the language Tagalog twice or thrice a week.

My friends and I played a lot. The whole town was our playground. We climbed trees and played hide-and-seek among the bushes. One game we particularly enjoyed was the *sungka*, played by two persons on a wooden board with holes on it. Each player had a *balay*, or house, to store the seashells used in the game. Whoever ended up with the most seashells in his or her balay was the winner.

Playtime usually ended before the church bells rang for evening prayers at 6 o'clock. We washed our hands very well before sitting down at the dinner table. When we ate, we used our bare hands. Steamed rice was served in every meal. Oftentimes, we had fish and vegetables.

Of the snacks we had, I loved the *patupat*. To make patupat, sticky rice was cooked in coconut milk. Then, the rice was shaped into a pyramid, wrapped in a banana leaf, and cooked slowly in an iron pot. Patupat was served with a dusting of sugar.

At Christmastime, I looked forward to eating the rice cake *tinubong*, made of sugar, sticky-rice flour, coconut milk, and grated young coconut meat. The mixture was placed inside a bamboo tube that was sealed on the open end with coconut husk or dried banana leaves. A rectangular hole was dug in the ground and filled with live charcoals, over which the tinubong was cooked. When done, the bamboo tube was split open with a bolo, and the tinubong taken out and served.

On Thursdays, people waited with great excitement at a variety store. The bus driver from the city Manila delivered copies of the weekly magazine *Bannawag* (Dawn), written in Ilocano. People enjoyed reading comics, novels, and short stories. My friend Perlita asked, "Do you think the boy and the girl in the love story would meet again?" I answered, "*Mabalin*. Maybe." I thought, if they did not meet again, they would surely see each other in heaven. I had watched stories like that in Tagalog movies.

The town started honoring the dead on All Saints' Day. At 12 midnight of November 1st, people kept guard over their possessions because "spirits" might steal them. The next day, stolen goods, like ladders, cemetery crosses, and large earthen jars (called *burnay*), appeared at a street corner, where they were reclaimed by the owners. Although they were not pleased, the owners did not complain much because the "crime" was a tradition.

Thursdays and Sundays were market days in Ballesteros. In late afternoon, I stood at the bandstand and watched every westward-bound kalesa. Most days, *Lilang* Polda appeared in one of them. Grandma Polda was my father's mother.

Upon seeing her carriage, I ran to her and shouted, "Lilang! Grandma!" She smiled and said, "*Ay, apok!* Oh, my grandchild!" I extended my right hand with an open palm. Lilang Polda took out a knotted hanky, untied it, and gave me several coins. I was very happy! "*Dios ti agngina!* Thank you!" I told Lilang Polda. I ran off immediately to spend the coins grandma gave me.

My first job as a child was selling the newspaper *Manila Bulletin*. Granduncle Lope, the newspaper's distributor, recruited the neighborhood children to sell the *Bulletin*. I walked up and down the streets shouting, "*Bulletin*! *Bulletin*! *Bulletin*!" It was dusk by the time I finished the job. Granduncle Lope paid us only a few centavos, but we loved earning money!

Ballesteros is on my mind…

I attended the Ballesteros Central Elementary School. To get there from our house, I walked north towards the sea.

The school had only a few buildings. Most of my schoolmates were children of farmers and fishers. Some of them came to school barefoot. I felt blessed because I wore slippers.

We studied hard and also played hard during recess. We went home for lunch and went back to school to study some more in the afternoon.

Our school was like our second home. We helped clean the rooms before and after school. At the end of the day, we even did outside chores, such as pulling out weeds in the schoolyard.

A day in early January 1964 is one I cannot forget. Schoolchildren in Ballesteros were still on Christmas break. It was late afternoon when we heard shouts, "*Uram!* Fire!" Smoke could be seen from a distance. Word spread quickly that the elementary school was on fire. I ran towards the direction of my school! Embers were flying all over! I saw people climbing to the nipa rooftops of their houses and dousing them with water.

A crowd had gathered in front of the school. I had never seen such a big fire in my life! It was scary! I stood motionless. I did not know what to do. The main school building burned to the ground right in front of my eyes. I knew immediately I would never step into my third-grade classroom again.

Nobody knew how the fire started. When we returned to school after the Christmas break, classrooms were set up in different homes. My classmates and I had our lessons on the second floor of a house assigned to our third-grade class. Our schooling was not interrupted at all.

Life went on as usual. At the end of the school year, the residents attended the school's closing ceremonies. When the names of the honor students were called, their proud parents came up the stage and pinned ribbons on them. The audience applauded loudly, and some members of the audience also went onstage to present gifts to the honor students. It was a big event.

In 1964, my family left Ballesteros to rejoin father in Quezon City, a city next to Manila. However, my siblings and I returned to Ballesteros for our summer vacation. When I visited the school in 1966, I noticed that a new low-rise structure had replaced the big main building. I missed the old building that was made of wood and had concrete steps. One time, Miss Aquilizan, my second-grade teacher, asked two or three of my classmates to go up the steps and read aloud the huge sign that said: Ballesteros Central Elementary School.

Many years later, my family and I came to America. I am now a special-education teacher at the John W. Garvy Elementary School in Chicago.

Whenever I get a chance, I tell my students stories of my wonderful childhood in Ballesteros. They are interested in knowing more about Ballesteros. I have taught them how to play the sungka, the game I enjoyed playing as a child, and have shown them pictures of gakka.

I remember people, places, and events in Ballesteros as if they happened only yesterday. Sometimes I feel like I can still breathe the salty breeze of the sea and hear the whooshing sound of water rushing to the beach. I see my Lilang Polda getting off the kalesa…my friends calling me to play, "Rey! Rey! Rey!"

Ballesteros is on my mind…

Rey E. de la Cruz, Ed.D., comenzó a escribir y dirigir obras de teatro cuando estaba en la escuela secundaria. A los 17 años ganó el tercer premio de los galardones Carlos Palanca Memorial Awards for Literature 1972, los premios literarios más prestigiosos de Filipinas. Lo ganó por *Kombensiyon ng mga Halimaw* (Convención de los Monstruos), una sátira inspirada en la Convención Constitucional Filipina. Es un viajero incansable, y le gustan el cine, el teatro y los libros. Su imaginación despertó y creció en Ballesteros, y por ello le fascinan las historias de los pueblos pequeños. Vive en Glenview, Illinois, en los Estados Unidos.

Tenni Magcase es una artista visual, retratista e ilustradora de libros infantiles. Sus vívidas ilustraciones en *The Magic Jeepney* (El Jeepney Mágico) le valieron ser finalista en el Noma Concours for Picture Book Illustrations 1982, organizado por el Asia/Pacific Cultural Centre for UNESCO. Reside en Morris Plains, New Jersey, en los Estados Unidos, y ha sido presidenta de la Society of Philippine American Artists de New York.